MÄR 9

MÄRCHEN AWAKEN ROMANCE

Kana

NOBUYUKI ANZAI
安西信行

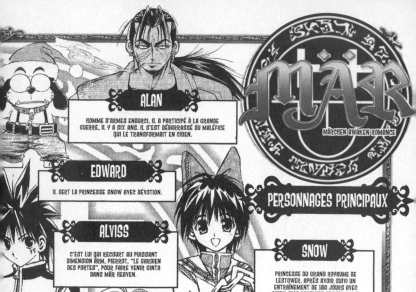

MÄR
MÄRCHEN AWAKEN ROMANCE

ALAN
HOMME D'ARMES ENDURCI, IL A PARTICIPÉ À LA GRANDE GUERRE, IL Y A SIX ANS. IL S'EST DÉBARRASSÉ DU MALÉFICE QUI LE TRANSFORMAIT EN CHIEN.

EDWARD
IL SERT LA PRINCESSE SNOW AVEC DÉVOTION.

PERSONNAGES PRINCIPAUX

ALVISS
C'EST LUI QUI RECOURT AU PUISSANT DIMENSION ÄRM, PIERROT, "LE GARDIEN DES PORTES", POUR FAIRE VENIR GINTA DANS MÄR HEAVEN.

SNOW
PRINCESSE DU GRAND ROYAUME DE LESTOWER. APRÈS AVOIR SUIVI UN ENTRAÎNEMENT DE 180 JOURS AVEC GINTA, ELLE PARTICIPE AU WAR GAME.

BABBO
ÄRM PARLANT. CHOSE RARISSIME. PAR LE LIEN PSYCHIQUE QUI LES RELIE, GINTA PEUT LUI FAIRE PRENDRE DE NOUVELLES FORMES.

NANASHI
CHEF DE LUBERIA, LA GUILDE DES VOLEURS. IL HAIT L'ÉCHIQUIER.

JACK
AU DÉPART, IL VIVAIT AVEC SA MAMAN, ET TIRAIT LEUR SUBSISTANCE DU TRAVAIL DE LA TERRE. AUJOURD'HUI, IL COMBAT L'ÉCHIQUIER AUX CÔTÉS DE GINTA !

GINTA TORAMIZU
SIMPLE COLLÉGIEN DE 2e ANNÉE, IL PASSE SON TEMPS À RÊVER DE CONTRÉES FÉÉRIQUES. DÉBARQUÉ DEPUIS PEU DANS CE NOUVEAU MONDE, IL S'EST JURÉ DE TOUT FAIRE POUR ABATTRE L'ÉCHIQUIER ET SAUVER MÄR HEAVEN.

RÉSUMÉ DES ÉPISODES PRÉCÉDENTS

GINTA TORAMIZU, UN COLLÉGIEN RÊVEUR, SE TROUVE PRÉCIPITÉ DANS "MÄR HEAVEN", UN ÉTRANGE UNIVERS PARALLÈLE. L'ÉCHIQUIER ANNONCE LA TENUE DU WAR GAME, UN TOURNOI DURANT LEQUEL LES TERRES ENCORE LIBRES JOUENT LEUR DESTINÉE.

GINTA ET LES AUTRES MEMBRES DE L'ÉQUIPE "MÄR" DÉCIDENT DE SE DRESSER CONTRE L'INFÂME ORGANISATION ET RELÈVENT LE DÉFI. ILS ENCHAÎNENT LES VICTOIRES ET REMPORTENT LES TROIS PREMIÈRES BATAILLES.

NOS COMPAGNONS ONT FAIT UN SANS-FAUTE DANS LA 4E BATAILLE SUR LES TERRES DE GLACE, MAIS POUR LE 6E ET DERNIER DUEL, DOROTHY AFFRONTE LA TERRIBLE RAPUNZEL.

GHIMOR

FOU DE L'ÉCHIQUIER ET FRÈRE CADET DE RAPUNZEL.
IL EST DÉFAIT PAR GINTA.

LE FANTÔME

CAVALIER. COMMANDANT SUPRÊME DES ARMÉES DE L'ÉCHIQUIER,
DONT IL EST AUSSI LE PLUS REDOUTABLE COMBATTANT.

RAPUNZEL

CAVALIER DE L'ÉCHIQUIER. UN PERSONNAGE BOUILLONNANT
DE HAINE, ET L'UN DES 12 COMBATTANTS DU ZODIAQUE.

AQUA

FOU DE L'ÉCHIQUIER. ELLE FAIT MATCH NUL FACE À NANASHI,
MAIS EST EXÉCUTÉE PAR GHIMOR.

DOROTHY

SORCIÈRE À LA MAUVAISE RÉPUTATION. AU
DÉBUT, ELLE APPROCHE GINTA POUR QU'IL LUI
OBTIENNE BABBO, PUIS SEMBLE ÉPROUVER
DES SENTIMENTS POUR NOTRE JEUNE HÉROS.
SERAIT-ELLE TOMBÉE AMOUREUSE DE LUI ?

MÄRCHEN AWAKEN ROMANCE

SOMMAIRE

GUARDIAN ÄRM...

ÉPISODE 86 :
DOROTHY VERSUS RAPUNZEL ③

CRAZY KILT !!

À MOINS QUE CE NE SOIT PLUSIEURS ANNÉES ?!

TU ME TENAIS ENFERMÉE DANS UNE BOÎTE À PINCEAUX...

ÇA FAISAIT SI LONGTEMPS QUE JE N'ÉTAIS PAS SORTIE À L'AIR LIBRE ! AU MOINS PLUSIEURS JOURS, OU PLUSIEURS MOIS !

SALUT DOROTHY ! C'EST MOI, CRAZY KILT, LA POUPÉE DE CHIFFON !! QU'ATTENDS-TU DE MOI, AUJOUR- D'HUI ?!

2

... C'EST ELLE.

TA PROIE POUR AUJOUR- D'HUI...

TU RAVIVES MA DOULEUR ...

NE CRIE PAS COMME ÇA, TU VEUX ?!

EN PLUS, IL NE RESSEMBLE À RIEN...

QUEL CASSE-PIEDS, CET ÄRM !?

JE SAIS ! C'EST ELLE, C'EST CETTE FEMME, HEIN ?!!

QUI T'A FAIT ÇA ?!

OH ! MAIS TU ES GRAVEMENT BLESSÉE ?!

JE NE PEUX PAS CROIRE QUE CE SOIT SANS RAISON !!!

DOROTHY L'A PASSÉ À SON DOIGT JUSTE AVANT LE COMBAT...

CRAZY KILT EST TRÈS EN COLÈRE !!!

FWAAM

QU'EST-CE QUE TU AS OSÉ FAIRE À MA MEILLEURE AMIE ?! JE NE PEUX PAS LAISSER ÇA IMPUNI !

... CRAZY KILT !!!

CHANTE...

MAIS JE NE PLONGERAI PAS DANS L'EAU !

PAS QUESTION DE TACHER MES JUPONS !!!!

JE ME PENCHE AU BORD DU PUITS, UNE SOURIS EST TOMBÉE TOUT AU FOND, ELLE APPELLE AU SECOURS ! CAR ELLE N'A PAS D'AILES !

10

SHAAASH!

11

EN UN INSTANT...

AH...

12

13

JE RECHERCHE UNE FEMME DU NOM DE DIANA.

... CONNAIS-TU LE NOM DE LA REINE ?!

CO... COM-MENT...

14

VOILÀ, TOUT SE CONFIRME...

FWiiiSH

JE DOIS RETOURNER AU PAYS DES SORCIÈRES.

LA BOUCLE EST BOUCLÉE.

16

... PETITE AQUA...

REPOSE EN PAIX...

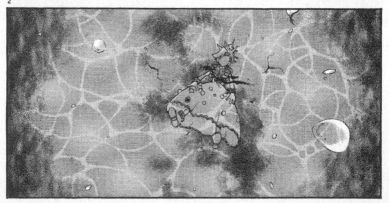

QUE TOUS LES SURVIVANTS...

LA 4ᵉ BATAILLE EST TERMINÉE...

BZUM

...RETOURNENT À RAGENRAVE !!!

BZUM

ÉPISODE 87 : EN ROUTE POUR GARDEA !

BZUM

DOROTHY!!

SHOOP

BLINK

OOOOH!

NOS HÉROS SONT DE RETOUR !!!

BRAVO ! VOUS AVEZ REMPORTÉ TOUS LES DUELS !!

5

HA HA!!

ON N'EN ATTENDAIT PAS MOINS DE TOI, GINTA !!

ÇA FAIT DU BIEN D'AVOIR FLANQUÉ UNE RACLÉE À GHIMOR !!

NORMAL.

TU AS ÉTÉ FORMIDABLE, TOI AUSSI, ALVISS !!

PAF

PAF

ALLEZ VOUS PLAINDRE À L'IDIOT QUI A CONÇU ÇA !!

C'ÉTAIT UN COUSSIN DE GELÉE, IGNORANT !!

VOUS AVEZ ENCORE PRIS UNE DRÔLE DE FORME, CETTE FOIS !

SI J'AI LE DROIT D'AVOIR DES MAÎTRESSES.

ÉPOUSE-MOI !!

NANASHI, TU ES TROP CRAQUANT !!!

KYAAA!

6

SURTOUT DOROTHY QUI A BATTU UN CAVALIER DE L'ÉCHIQUIER.

CETTE FOIS, VOUS AVEZ ÉTÉ IRRÉPROCHABLES.

ALAN...

IL FAUT QUE TU SACHES QUELQUE CHOSE...

RÉPÈTE ÇA ?!

DEMAIN, JOURNÉE DE REPOS !

J'AI UNE ANNONCE CONCERNANT L'ÉQUIPE DE MÄR.

JE DOIS VOUS PARLER...

ÉCOUTEZ-MOI, LES AMIS...

ÇA, TU L'AS DIT.

MIOM

HA HA ! LES REPAS SONT ENCORE MEILLEURS APRÈS LA VICTOIRE !!

MIOM

MERCI, BELLE !

VOILÀ POUR TOI.

10

JE SOUHAITE QUE VOUS M'ACCOMPAGNIEZ JUSQU'À GARDEA.

GARDEA N'ENTRETIENT AUCUNE RELATION AVEC SES VOISINS...

C'EST L'ENDROIT LE PLUS MYSTÉRIEUX DE MÄR HEAVEN !!

... LE PAYS MAGIQUE !!!

MAIS, C'EST...

GARDEA...?

PERSONNE NE T'A DEMANDÉ DE NOUS ACCOMPAGNER, CLÉBARD !!

EN PLUS, TU NE SAIS PAS TE BATTRE.

JE N'AI AUCUNE ENVIE D'Y ALLER !!

LE PEUPLE DE GARDEA N'ACCEPTE PAS LES HOMMES D'AUTRES CONTRÉES !!

FAITES-MOI CONFIANCE...

... ET SUIVEZ-MOI.

VOUS ÊTES TOUS CONCERNÉS PAR CETTE AFFAIRE...

NOUS PARTONS.

BIEN...

13

... SE RETROU-VENT À GARDEA !!!

QUE TOUS, ICI PRÉSENTS ...

BLINK

14

C'EST ICI...?

C'EST...

15

GARDEA!!!

MAIS AUSSI...

LE PAYS MAGIQUE...

16

... LA TERRE NATALE DE DOROTHY !!!

C'EST AU PALAIS VOLANT QUE NOUS NOUS RENDONS.

QUE SE PASSE-T-IL, BABBO ?

H M M ...

C'EST PARTI !

DU MOINS, J'EN AI L'IMPRESSION...

J'Y SUIS DÉJÀ VENU...!!

JE CONNAIS CET ENDROIT !!

ÉPISODE 88 : VÉRITÉS ①

ÉPISODE 88 :
VÉRITÉS ①

BIEN...

OUVRE LES PORTES.

SALUT À TOI, JIM.

DOROTHY!!

C'EST BIEN VOUS ?!

VOUS ÊTES DE RETOUR AU PAYS ?!

... QUI SONT CES GENS ?!

MAIS...

ET SELON LA LOI DE GARDEA, LES ÉTRANGERS NE PEU...

ILS ONT L'AIR FRANCHEMENT DOUTEUX... SI J'PUIS ME PERMETTRE !

3

EN...

KLANK

ENTENDU !!!

CE SONT MES COMPAGNONS.

TU FERAS UNE EXCEPTION POUR EUX, D'ACCORD ?

4

OUI, C'EST ELLE !!

DOROTHY ?!

MAIS C'EST DOROTHY !!!

OOOH !!!

SOIS LA BIENVENUE !!!

DOROTHY !! ÇA FAISAIT DES ANNÉES !

WAAAH!

5

43

ALORS, RENDS-TOI VITE AU PALAIS !!

COMMENT ON S'Y REND ?

IL FLOTTE, VOTRE PALAIS !

CELUI-CI ?!

...SE RETROUVENT AU PALAIS DE GARDEA !!

QUE TOUS, ICI PRÉSENTS...

ANDARTA !!

EN- TRONS, GINTA.

ON N'EST PAS LÀ POUR FAIRE DU TOURISME.

J'AURAIS BIEN PRIS UNE PHOTO, MOI !

OOOH !!!

OOOH !!!

SI ON VEUT.

DIS-MOI, DOROTHY...

DISONS QU'ILS ME CONSIDÈRENT UN PEU COMME LEUR PRINCESSE !!

TU ES UNE VRAIE CÉLÉBRITÉ ICI !!

8

LA MAGIE EST FORTE DANS CE PAYS. J'AI SENTI UN FLUX PUISSANT CHEZ TOUS LES HABITANTS.

MÊME CHEZ LES PLUS JEUNES...

TU VEUX PASSER PAR-DESSUS BORD ?

LA FERME !!!

PAS DU RANG DE SNOW, EN TOUT CAS...

UNE PRIN- CESSE ?!

NOUS SOMMES ARRIVÉS.

TE VOILÀ DE RETOUR PARMI NOUS... J'EN DÉDUIS QUE...

CELA FAISAIT BIEN LONGTEMPS, DOROTHY...

10

J'AI RETROUVÉ DIANA.

OUI, GRAND SAGE.

48

!!

MAIS C'EST...

DIANA...

11

EH BIEN, C'EST LEUR SOUVERAINE...

OUI, NOTRE CHÈRE DIANA !!

MAÎTRE, VOUS A-T-ON INFORMÉ AU SUJET DE L'ÉCHIQUIER ?

CES BANDITS QUI ONT EMBRASÉ MÄR HEAVEN, VOILÀ 6 ANS...?

OUI.

...POUR DEVENIR...

MA SŒUR AÎNÉE A DONC QUITTÉ GARDEA...

12

...ET MÈRE ADOPTIVE DE SNOW.

...REINE DE LESTOWER...

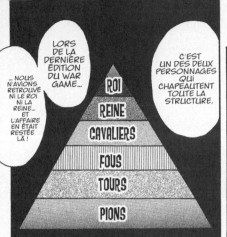

LORS DE LA DERNIÈRE ÉDITION DU WAR GAME...

... NOUS N'AVIONS RETROUVÉ NI LE ROI NI LA REINE... ET L'AFFAIRE EN ÉTAIT RESTÉE LÀ !

ROI
REINE
CAVALIERS
FOUS
TOURS
PIONS

C'EST UN DES DEUX PERSONNAGES QUI CHAPEAUTENT TOUTE LA STRUCTURE.

ATTENDEZ... LA REINE FAIT BIEN PARTIE DE L'ÉCHIQUIER, NON ?

QU'EST... QU'EST-CE QUE ÇA SIGNIFIE ?

13

PAS ÉVIDENT DE LES TROUVER...

...S'ILS ÉTAIENT CACHÉS PARMI NOS ALLIÉS !!

DIANA A TOUJOURS ÉTÉ COMME ÇA...

ALORS LA REINE EST TA SŒUR ?!

COMMENT ÇA ?

... JUSQU'À DEVENIR IRRÉPRESSIBLE. ET PUIS UN JOUR, ELLE A COMMIS L'IRRÉPARABLE.

SON AVIDITÉ SEMBLAIT CROÎTRE JOUR APRÈS JOUR...

QUE CE SOIT LA NOURRITURE OU LES JOUETS...

ELLE VOULAIT TOUT...

14

... AVANT DE S'ENFUIR !!

ELLE A DÉROBÉ LES 798 ÄRMS AUX POUVOIRS SPÉCIAUX QUE POSSÉDAIT GARDEA...

16

ÉPISODE 89 :
VÉRITÉS ②

TU M'AS FAIT UNE PROMESSE, RAPPELLE-TOI !!

TU NE PEUX PAS !!

ET PUIS, MEMBRE DE L'ÉCHIQUIER OU PAS...

... C'EST TA PROPRE SŒUR, NON ?!

JEUNE HOMME, J'IGNORE QUELLE PROMESSE VOUS VOUS ÊTES FAITE, MAIS IL S'AGIT D'UN CAS TRÈS PARTICULIER.

À CE TITRE, C'EST À ELLE DE RÉPARER SES CRIMES.

DOROTHY EST L'UNIQUE PARENT DE DIANA.

C'EST NOTRE LOI !

COMPRENDS-TU...?

LAISSE-MOI TE RACONTER...

... L'HISTOIRE DE DIANA.

GINTA !!

TU NE PEUX PAS ACCEPT...

DOROTHY... DIS QUELQUE CHOSE !

56

... LORSQUE J'ÉTAIS MEMBRE DE LA GARDE DU CHÂTEAU DE LESTOWER...

IL Y A 10 ANS...

CAR L'ÉCHIQUIER N'EXISTAIT PAS NON PLUS.

À L'ÉPOQUE, ELLE N'EXISTAIT PAS ENCORE.

QUOI ? JE CROYAIS QUE TU ÉTAIS LE N°2 DE LA CROSS GUARD ?!

3

C'ÉTAIT DUR DE VOIR CETTE ENFANT PLEURER TOUTES LES LARMES DE SON CORPS.

LA PEINE DE SNOW FUT IMMENSE.

NOTRE REINE A ÉTÉ EMPORTÉE PAR LA MALADIE.

IL Y A DIX ANS DONC, UN MALHEUR EST VENU FRAPPER LE ROYAUME...

MAIS AUCUNE FEMME SUSCEPTIBLE DE LUI PLAIRE NE SE MANIFESTA.

TRÈS PRÉOCCUPÉ, SON PÈRE, LE ROI, DÉCIDA DE SE CHOISIR UNE NOUVELLE ÉPOUSE PARMI TOUTES LES FEMMES DE LA TERRE.

DEUX ANNÉES PASSÈRENT...

ILS SE MARIÈRENT AUSSITÔT.

LE ROI FUT LITTÉRALEMENT SÉDUIT PAR SON CHARME ET PAR SA BEAUTÉ...

À NOS YEUX, ELLES ÉTAIENT COMME MÈRE ET FILLE.

DIANA ÉTAIT DOUCE ET AIMABLE ENVERS TOUS SES SUJETS. ELLE PLUT TOUT DE SUITE À SNOW...

ET PUIS UN JOUR...

... DIANA SE PRÉSENTA À LA COUR !

DEUX ANS PLUS TARD...

... ALORS QUE SNOW AVAIT 8 ANS...

MAIS CE BONHEUR NE DEVAIT PAS DURER...

C'ÉTAIT LE DÉBUT DE LA GRANDE GUERRE !!

...LES TROUPES DE L'ÉCHIQUIER, UNE ORGANISATION MILITAIRE MISE SUR PIED EN SECRET, DÉFERLÈRENT SUR MÄR HEAVEN.

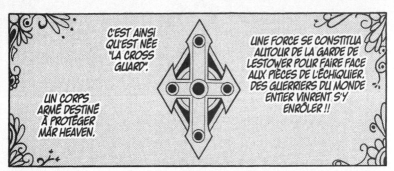

C'EST AINSI QU'EST NÉE "LA CROSS GUARD".

UN CORPS ARMÉ DESTINÉ À PROTÉGER MÄR HEAVEN.

UNE FORCE SE CONSTITUA AUTOUR DE LA GARDE DE LESTOWER POUR FAIRE FACE AUX PIÈCES DE L'ÉCHIQUIER. DES GUERRIERS DU MONDE ENTIER VINRENT S'Y ENRÔLER !!

... ET PROPHÉTISA : "VOUS POUVEZ DÉSORMAIS VAINCRE L'ÉCHIQUIER !"

LA REINE MIT DE PUISSANTS ARMS À SA DISPOSITION...

7

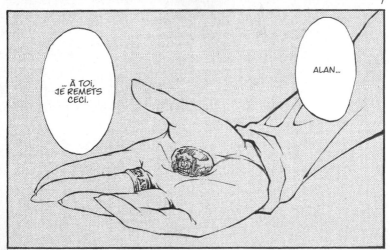

... À TOI, JE REMETS CECI.

ALAN...

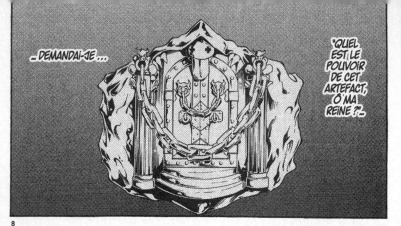

... DEMANDAI-JE ...

"QUEL EST LE POUVOIR DE CET ARTEFACT, Ô MA REINE ?"

"C'EST PIERROT, LE GARDIEN DES PORTES"

"LÀ D'OÙ JE VIENS, UNE LÉGENDE RACONTE QU'IL PERMET D'INVOQUER UN VISITEUR D'UN AUTRE MONDE.

"POURQUOI NE PAS L'ESSAYER ?"

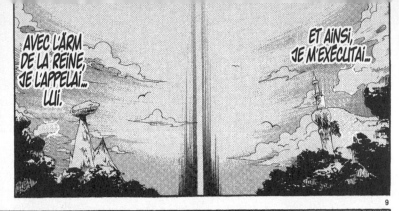

AVEC L'ÄRM DE LA REINE, JE L'APPELAI... LUI.

ET AINSI, JE M'EXÉCUTAI...

HÉ...

OÙ SUIS-JE ?

LA CROSS GUARD, GUIDÉE PAR LE VISITEUR, AFFRONTA LES PIÈCES DE L'ÉCHIQUIER AU COURS DU WAR GAME.

DANNA ALLA JUSQU'AU SACRIFICE SUPRÊME...

... MAIS NOUS MENA À LA VICTOIRE...

10

... CE N'EST PAS LA FIN...

MAIS...

ILS SE SONT ENTRETUÉS...

... S'ABATTRA DE NOUVEAU SUR LE MONDE.

ET LA GUERRE...

CAR LE FANTÔME NE PEUT PAS MOURIR.

IL REVIENDRA À LA VIE !!

11

CETTE ODIEUSE PROPHÉTIE S'EST RÉALISÉE...

... CAR L'ÉCHIQUIER N'AVAIT PAS ÉTÉ ENTIÈREMENT ÉRADIQUÉ !!

NOUS AVONS TOUT MIS EN OEUVRE POUR LES TROUVER... MAIS EN VAIN... LES TÊTES PENSANTES RESTÈRENT TOUJOURS HORS DE NOTRE PORTÉE...

CAR AU-DESSUS DE LUI, IL Y AVAIT UNE REINE ET UN ROI.

LE FANTÔME N'ÉTAIT PAS LE VÉRITABLE LEADER DE L'ÉCHIQUIER.

... DE SNOW.

LA BELLE-MÈRE...

NOUS SAVONS MAINTENANT...

... QUE L'UNE D'ELLES EST LA REINE DE LESTOWER !!!

12

C'EST SOUS SON IMPULSION QUE NOUS AVIONS TRIOMPHÉ.

ELLE NOUS AVAIT DOTÉS D'ÄRMS.

IMPOSSIBLE.

PERSONNE N'AURAIT OSÉ SOUPÇONNER QU'ELLE PÛT ÊTRE AU COEUR DE CETTE INFÂME ORGANISATION.

MAIS PEU DE TEMPS APRÈS, QUAND LE ROI EST MORT DE MALADIE, DIANA A RÉVÉLÉ SA VÉRITABLE NATURE.

ENCORE ! TOUJOURS PLUS !

APPORTEZ-MOI LES METS LES PLUS FINS !

ENCORE ! TOUJOURS PLUS !

APPORTEZ-MOI LES ÉTOFFES ET LES JOYAUX LES PLUS PRÉCIEUX !

13

ENCORE ! TOUJOURS PLUS !

APPORTEZ-MOI LES ARMS DOTÉS DES PLUS GRANDS POUVOIRS MAGIQUES !!

JE VEUX... MÄR HEAVEN !

14

ET PUIS, PEU À PEU, DES GENS ÉTRANGES SONT APPARUS AU CHÂTEAU...

DEVENU CHIEN, MON INSTINCT ME FIT PRESSENTIR LE DANGER POUR SNOW...

... ET JE L'EMPORTAI LOIN DE LESTOWER !!

ELLE AVAIT TOUT MANIGANCÉ, TOUT PLANIFIÉ, DEPUIS LE DÉBUT.

C'EST DIANA QUI A CRÉÉ L'ÉCHIQUIER, ELLE QUI L'A ARMÉ, C'EST ELLE ENCORE QUI A MIS LA CROSS GUARD SUR PIED ET L'A ÉQUIPÉE.

ALORS, CETTE PREMIÈRE DÉFAITE ÉTAIT DESTINÉE À TROMPER LE MONDE...?

OU BIEN C'EST DANNA QUI, EN SE RÉVÉLANT BIEN PLUS CORIACE QUE PRÉVU, A CONTRECARRÉ TOUS SES PLANS.

C'EST POUR CETTE RAISON QUE J'AI DÉCIDÉ D'ACCOMPAGNER SNOW, LA PRINCESSE DE LESTOWER.

JE VOULAIS DÉCOUVRIR LA VÉRITABLE IDENTITÉ DE LA REINE.

VOUS ÊTES MAL TOMBÉS, VOUS AUTRES !

C'EST RARE QUE J'AIDE LES GENS. TU PEUX ME DIRE MERCI, GINTA...

DEPUIS MON ARRIVÉE AU CHÂTEAU DES GLACES, MES DOUTES SE SONT PORTÉS SUR L'ÉCHIQUIER.

J'AVAIS VU JUSTE.

C'EST VRAIMENT CE QUE VOUS VOULEZ ?

MA REINE...

16

IL Y A 6 ANS.

PENDANT LE DERNIER WAR GAME.

ALVISS...

QUAND AS-TU REÇU LE SCEAU DU MORT ?

C'EST PROBA-BLEMENT DIANA...

... QUI A CONFÉRÉ CE POUVOIR AU FANTÔME.

ÉPISODE 90 : AGRESSION

ELLE SEULE SAIT COMMENT DÉFAIRE CE MALÉFICE ET ABATTRE LE FANTÔME...

...TOIRE ?!

VOUS AVEZ L'INTENTION DE VOUS INTRODUIRE ILLÉGALEMENT SUR LE TERRI...

QUI ÊTES-VOUS ?!

2

C'EST LA TERRE NATALE DE NOTRE REINE.

NOUS AVONS SON AUTORISATION PERSONNELLE.

NOUS NE SOMMES PAS DES INTRUS...

ÉPISODE 90 :
AGRESSION

AUSSI, NOUS FERONS COMME BON NOUS SEMBLE.

DONC... IL ME RESTE PEU DE TEMPS.

LA MARQUE A PRESQUE FAIT LE TOUR COMPLET DE MON CORPS.

PRENDS CET ARTEFACT.

ALVISS...

4

GAÏRA...?!

MAIS C'EST...

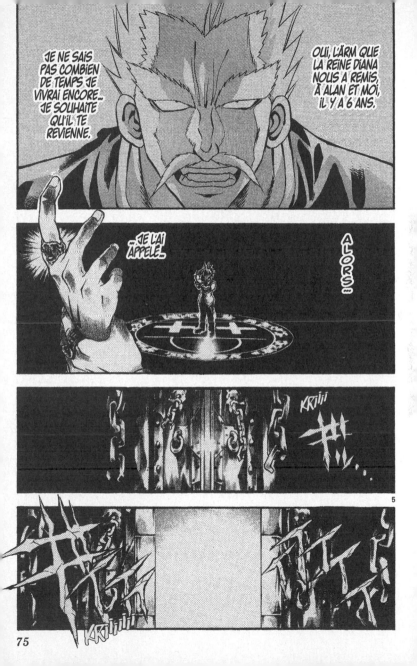

75

GINTA!!!

LE VIEUX !!!

HÉ !!

TAM

ZÜ

ZÜ

ZÜ

TAM

C'EST ICI MÊME, À GARDEA, QU'IL A ÉTÉ FORGÉ.

AH, PIERROT... QUE DE SOUVENIRS !

VOUS N'AVEZ NI CŒUR NI LARMES, PAS VRAI ?!

QUE ÇA SOIT LÉGAL OU PAS, C'EST IGNOBLE D'ORDONNER À DES SŒURS DE S'ENTRETUER !!!

SUR QUEL TON IL S'ADRESSE AU GRAND SAGE !!

GIN... GINTA...

GINTA !!

C'EST LUI QUI VIENT D'UN AUTRE MONDE ?!

HO HO HO ! VOILÀ UN PETIT JEUNE PLEIN D'ENTRAIN ET DE VITALITÉ !

TU AS VU TOUS CES VILLAGES À FEU ET À SANG ?!

TOI AUSSI !!

TOUTES CES POPULATIONS PROSTRÉES !

TOUS CES GENS MASSACRÉS PAR LES COLONNES DE L'ÉCHIQUIER...

... MAIS PUISQU'ELLE EST À L'ORIGINE DE CETTE GUERRE...

CE N'EST PAS FACILE POUR MOI DE ME BATTRE CONTRE L'ÉPOUSE DE MON PÈRE...

... EN TANT QU'HÉRITIÈRE LÉGITIME DE LESTOWER, JE ME DOIS DE L'AFFRONTER.

QUEL TEMPÉRAMENT... ET QUEL SENS DU DEVOIR !

COMBIEN D'ENFANTS ACCEPTERAIENT DE TELLES RESPONSABILITÉS, DANS LE MONDE D'OÙ JE VIENS ?!

C'EST UN SUJET DE GARDEA QUI A DÉTRUIT LA PAIX.

NOUS DEVONS FAIRE FACE À NOTRE DEVOIR. NOUS VOUS AIDERONS DANS VOTRE LUTTE.

SNOW EST SI JEUNE...

COMMENT...

... PEUT-ELLE ÊTRE SI PROFONDE ?

VOUS !

BIEN...

10

?

ET VOUS AUSSI.

VOUS...

VOUS...

ET PUIS VOUS...

SUIVEZ-MOI !

NOUS ALLONS VOUS OFFRIR DE NOUVEAUX ÄRMS.

À PARTIR DU MOMENT OÙ TU AS DÉCIDÉ DE PARTICIPER AU WAR GAME, TU ÉTAIS PRÊT À TUER.

C'EST STUPIDE DE SE LAISSER ABATTRE COMME ÇA !!

TROUVE-TOI UNE CAUSE, TOI AUSSI !

MOI, J'AI MA PROPRE BATAILLE À LIVRER.

CE N'EST PAS UN JEU...

... C'EST LA GUERRE.

MA PROPRE BATAILLE... LA GUERRE...

12

J'AI PEUT-ÊTRE ÉTÉ UN PEU TROP NAÏF.

BRAM

RESSAISIS-
TOI,
BENÊT !

KONK

SINON,
NOUS ALLONS
AU-DEVANT
D'AUTRES
TRAGÉDIES !!!

IL FAUT
TRIOMPHER
DU MAL.

13

PA...
PARDON ?

C'EST D'ICI
QUE JE
VIENS...?!

QUOiii
?!

IL FAISAIT
PARTIE DE
NOTRE
ARSENAL,
LUI AUSSI...

BABBO !
D'AUTRES
SOUVENIRS,
ENCORE !!

CAR BABBO EST...

C'EST LE PLUS RARE DES ÄRMS QUE DIANA A VOLÉS.

!

BRAM

14

... CE BRUIT ?!

QUEL ÉTAIT...

16

FFFFF

MAMAN...

MAMAN!!

PAPAAA?!

FFFF

2

NOUS AVONS RÉPONDU PAR LA MAGIE...

L'ENNEMI DISAIT S'APPELER "L'ÉCHIQUIER" !

MAIS ILS ÉTAIENT TROP NOMBREUX...

DOROTHY !!

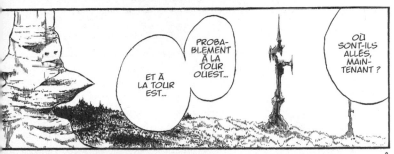

ET À LA TOUR EST...

PROBABLEMENT À LA TOUR OUEST...

OÙ SONT-ILS ALLÉS, MAINTENANT ?

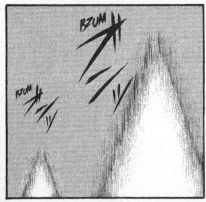

BZUM

BZUM

ON SE DIVISE EN 2 GROUPES ET ON LES PREND À REVERS !!

GINTA, JE VAIS VOUS TÉLÉPORTER SUR LA PLACE OUEST !

ALORS C'EST POUR LES ÄRMS QU'ILS SONT VENUS !

BIEN !!

ÉPISODE 91 : LUTTE ACHARNÉE

5

... SI ON COMBATTAIT À LA RÉGULIÈRE, UN CONTRE UN !

PEUT-ÊTRE MÊME QU'ON NE VIENDRAIT PAS À BOUT DE LUI...

LE SALE GOSSE QUI A BATTU GARON ET GHIMOR !

PIÈCE DE L'ÉCHIQUIER
KARELIN
RANG TOUR

PIÈCE DE L'ÉCHIQUIER
BORUS
RANG TOUR

PIÈCE DE L'ÉCHIQUIER
RONDO
RANG TOUR

C'EST LA GUERRE.

À PARTIR DU MOMENT OÙ TU AS DÉCIDÉ DE PARTICIPER AU WAR GAME, TU ÉTAIS PRÊT À TUER.

PAOW

PAOW

PAOW

BWORGH!!

GWAH!!

TROUVE-TOI UNE CAUSE, TOI AUSSI !

MOI, J'AI MA PROPRE BATAILLE À LIVRER.

PAS MAL, PETIT !!

À MON TOUR DE T'AFFRONTER !!!

PIÈCE DE L'ÉCHIQUIER
GALIA
RANG
TOUR

ZUM

RAAAAAH!!!

EN TANT QU'HÉRITIER LÉGITIME DE LESTOWER, JE ME DOIS DE L'AFFRONTER

MES AMIS
SE BATTENT DE
TOUTES LEURS
FORCES...

...PAPA...

COMME
TU L'AS FAIT
EN ARRIVANT ICI,
JE SUPPOSE...

10

96

12

LA ZONE EST DÉGAGÉE DE MON CÔTÉ.

...DOROTHY!!

HH...

HH...

TZAM

NON...

PAS SI VITE.

LE...

LE FANTÔME !!

HU... HU... HU...

TU AS DONC FAIT LE VOYAGE, TOI AUSSI...

QUEL HEUREUX HASARD, GINTA...

NOUS NE SOMMES PAS AU WAR GAME...

C'ÉTAIT PEUT-ÊTRE DE SIMPLES TOURS, MAIS TU EN AS ABATTU UNE TRENTAINE EN MOINS D'UNE HEURE...

16

... ET JE SUIS CURIEUX DE VOIR JUSQU'OÙ TU RÉSISTERAS.

EN CET INSTANT... SOUS MES YEUX...

... SE TIENT L'HOMME QU'IL NOUS FAUT ABSOLUMENT ABATTRE...

... LE FANTÔME !

RAAAAAAAAH!!!

ÉPISODE 92 :
RENCONTRE
INATTENDUE

TUEZ-LE, ICI ET MAINTENANT !!!

ON SE MOQUE DU WAR GAME !!

OUI !!

TUEZ-LE, FANTÔME !!!

VOUS SAVEZ BIEN QUE JE NE LE FERAI PAS.

CE PETIT BONHOMME VOUS A TOUS BATTUS... IL A DÉMONTRÉ SA VALEUR.

IL EST MAINTENANT EXTÉNUÉ. JE ME BATTRAI SÉRIEUSEMENT QUAND NOUS SERONS AU MIEUX DE NOTRE FORME, TOUS LES DEUX.

C'EST FOUTU !

JE SUIS PSYCHIQUEMENT À SEC !

VERSION ③ !!

GARGOULI...

BRAAAAM

12

MASSACRONS-LE !!!

ATTENDEZ !

PARFAIT !!

13

IL ÉTAIT ÉPUISÉ ET COUVERT DE BLESSURES, ET POURTANT, IL EST PARVENU À ME PORTER UN COUP...

IL A BEAUCOUP CHANGÉ DEPUIS NOTRE DERNIÈRE RENCONTRE... IL EST DEVENU TRÈS FORT.

SPLTCH !!!

RAPPELEZ CEUX QUI SE DIRIGENT VERS LA TOUR EST.

OUBLIONS LES ÄRMS.

RENTRONS !

ENTENDU!!

EN...

14

GINTA...

... JE TE TUERAI.

LA PROCHAINE FOIS QUE J'AURAI AFFAIRE À TOI...

GiNTA!!

POURTANT...

15

LUi AUSSi,
POURTANT...

GiNTAAA!!

... ÉTAIT UN HOMME,
AUTREFOiS...

POURQUOI ?

POURQUOI LE FANTÔME A-T-IL ACCEPTÉ SON MALÉFICE ?!
POURQUOI A-T-IL RENIÉ SON HUMANITÉ ?

16

JE L'IGNORE... TOUT CE QUE JE SAIS...

... C'EST QU'AUJOURD'HUI...

... JE N'AI RIEN PU FAIRE FACE À LUI.

ÉPISODE 93 :
LA MÉMOIRE DE BABBO

IL FAUT TOUJOURS QUE TU EN FASSES TROP.

TU T'ES BATTU CONTRE DES DIZAINES D'ENNEMIS, TOUT SEUL !

J'AI LA TÊTE QUI TOURNE.

JE NE ME SENS PAS BIEN DU TOUT.

SUPER ! TU AS L'AIR EN FORME !

NOUS AVONS DE LA CHANCE DANS NOTRE MALHEUR.

VRAIMENT ?

2

COMMENT SE PRÉSENTE LA SITUATION SUR GARDEA ?

LE TERRITOIRE EST À MOITIÉ RAVAGÉ.

MAIS LES ARMS SONT SAUFS.

IL FAUDRA DU TEMPS POUR REBÂTIR.

LE FANTÔME ÉTAIT LÀ.

GINTA...

TU T'ES BATTU CONTRE LUI ?

?

!

J'AVAIS DRÔLEMENT SURESTIMÉ MA FORCE.

ET J'AI PERDU.

OUAIS.

3

IL NE RÉALISE PAS... COMPLÈTEMENT INCONSCIENT, CE PETIT !!!

ÉVIDEMMENT QU'IL A PERDU SON DUEL, DANS CES CONDITIONS !!!

EH BAH ! C'EST UNE VEINE DE L'AVOIR COMPRIS MAINTENANT !

PEUT-ÊTRE...

... ON VOUS A REMIS LES ÄRMS QUI VOUS AVAIENT ÉTÉ PROMIS ?!

À PROPOS...

4

ÇA SERA UNE SURPRISE POUR LE WAR GAME !

NOUS AVONS CHACUN REÇU UN ÄRM DE NOTRE SPÉCIALITÉ.

... NOUS AVONS ÉTÉ INTERROMPUS, ALORS QUE J'ALLAIS VOUS PARLER DE BABBO.

À PROPOS...

... SONT DES ARTEFACTS CISELÉS SELON UN SAVOIR BIEN PARTICULIER : CELUI DES MAGICIENS DE GARDEA. EN SUBSTANCE, CES OBJETS SONT CONÇUS COMME DES RÉCEPTACLES DESTINÉS À ACCUEILLIR DE LA MAGIE PURE.

LES ÄRMS, CES BIJOUX IMPRÉGNÉS DE MAGIE...

5

MAIS LES PIERRES MAGIQUES ET LES ARTEFACTS DE GRANDE VALEUR PROVIENNENT TOUS DE GARDEA, EN EFFET.

PAS TOUS. LES VARIÉTÉS LES PLUS RUDIMENTAIRES, LES ARMES SIMPLES, PEUVENT ÊTRE L'ŒUVRE D'ORFÈVRES DU MONDE ENTIER.

ALORS TOUS LES ÄRMS ONT ÉTÉ FABRIQUÉS ICI ?

QUOi?!

6

TU N'ES RIEN DU TOUT. TU N'ES QU'UN RÉCEPTACLE, TOUT AU PLUS.

JE SUIS DONC QUELQU'UN D'IMPORTANT !!

SI JE VOUS SUIS BIEN, J'ÉTAIS UN GRAND SAGE DE CE PAYS ?

C'EST CELA.

TOUS NOS ENNUIS ONT COMMENCÉ IL Y A 10 ANS.

SNIF

7

GARDEA ABRITAIT UN ORBE SCELLÉ QUI RENFERMAIT LE BOUILLONNEMENT MALFAISANT DU MONDE. CELUI-CI AVAIT ÉTÉ CONSTITUÉ AVEC LES CONSCIENCES DES HOMMES MAUVAIS QU'ON NE POUVAIT LAISSER EN LIBERTÉ...

DIANA A BRISÉ LE SCEAU DE L'ORBE, A TRANSFÉRÉ CETTE PURE MALFAISANCE DANS BABBO, PUIS S'EST ENFUIE EN L'EMPORTANT !!

ÇA EXPLIQUE LA FÉROCITÉ DU BABBO D'IL Y A 6 ANS...

JE VOIS...

VOYONS VOIR...

PERDU LA MÉMOIRE ...?

IL SEMBLE QUE DANS L'OPÉRATION, TU AIES PERDU UNE BONNE PARTIE DE TA MÉMOIRE.

APPAREMMENT, CETTE CONSCIENCE MAUVAISE S'EST ÉVANOUIE, ET A ÉTÉ REMPLACÉE PAR UNE AUTRE.

JE VAIS RECOURIR À LA MAGIE POUR LA RESTAURER...

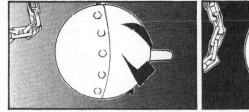
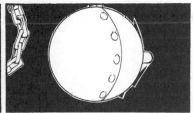

9

BABBO...?

... GINTA, N'EST-CE PAS ?!

TU ES...

C'EST JUSTE !!

EUH...

BIEN SÛR !! TU DÉLIRES, MON PAUVRE !!

...CETTE SENSATION ?!

QUELLE EST...

...AUX AGISSEMENTS DE DIANA.

METS UN TERME...

BZUM

PARS TRANQUILLE.

GRAND SAGE... NOUS DEVONS LIVRER BATAILLE DEMAIN ET...

NOUS REMETTRONS TOUT EN ORDRE.

12

OOH !
GINTA ET
LES SIENS
SONT DE
RETOUR !!

GINTA !!
C'EST
TERRIBLE !!

QUE SE PASSE-T-IL ?

EUH... LÀ-BAS...

... IL Y A UN HOMME QUI SE DIT DE L'ÉCHIQUIER...

... ET QUI INSISTE POUR JOUER AVEC LES ENFANTS

KYAH!

KYAH!

13

QUI ES-TU, TOI, LÀ-BAS ?!

QUI...

HM ?

... MÊME SI JE ME SUIS BIEN AMUSÉ AVEC LES ENFANTS.

VOUS ÊTES ENFIN RENTRÉS ? J'ÉTAIS FATIGUÉ D'ATTENDRE ...

QUANT À MOI, JE SUIS UN COMBATTANT DU ZODIAQUE. JE ME NOMME ASH.

ET CELUI QUE JE VEUX AFFRONTER...

PIÈCE DE L'ÉCHIQUIER **ASH**
RANG **CAVALIER**

...C'EST TOI...

... GINTA.

ÉPISODE 94 : VEILLÉE D'ARMES

COMMENT AS-TU TROUVÉ MA TERRE NATALE ?

AH...

...ALTESSE.

JE SUIS DE RETOUR...

QUEL BUTIN ME RAMÈNES-TU ?

... JUSQU'À CE QUE NOUS Y METTIONS LES PIEDS, DU MOINS.

UN PAYS CHARMANT...

JE L'AI RENCONTRÉ PAR HASARD ! J'EN AI RETIRÉ UNE GRANDE JOIE.

OUI... GINTA !!

AUCUN ARM...

QUELQUE CHOSE DE BIEN PLUS INTÉRESSANT, ALORS ?

C'EST SURPRENANT...

IL T'A MÊME BLESSÉ...

2

DANS PEU DE TEMPS, LE FRUIT SERA MÛR...

BATAILLE APRÈS BATAILLE, GINTA DEVIENT PLUS FORT.

ÉPISODE 94 :
VEILLÉE D'ARMES

ATCHOUM!!

ATCHOUM!!

RASSURE-TOI : LES IMBÉCILES NE TOMBENT JAMAIS MALADES, SELON LE DICTON !!

LA FERME, BOULET !!

WHA-HA HA HA

J'AI ÉTERNUÉ DEUX FOIS, ÇA DOIT DONC ÊTRE EN MAL !

QUELQU'UN PARLE DE MOI EN CE MOMENT !

SNIF SNIF

T'AS ATTRAPÉ FROID, GINTA ?

3

JE TE SENS MAUSSADE, DEPUIS TOUT À L'HEURE.

DIS-MOI CE QUI NE VA PAS, GINTA !

Fraaaa!

4

EH BIEN...

JE N'AI RIEN PU FAIRE FACE AU FANTÔME...

JE DOUTE DE POUVOIR LE VAINCRE PENDANT LE WAR GAME...

LES AVOIR BALAYÉS AVEC UNE TELLE DÉSIN-VOLTURE EST LA PREUVE QUE TU AS FAIT D'ÉNORMES PROGRÈS.

D'APRÈS L'EXPÉRIENCE DE NOS BATAILLES, CES MANANTS ÉTAIENT DU GRADE DE TOUR.

EXACT !!

MAIS ENFIN, TU SORTAIS D'UN COMBAT CONTRE 30 ADVERSAIRES !

PAS ÉTONNANT QUE TU AIES PERDU !!

MAIS SURTOUT...

JE VIVAIS DANS UN PAYS EN PAIX.

NON.

GINTA... AS-TU CONNU LA GUERRE DANS TON PAYS ?

6

... SNOW A DIT QU'ELLE SE BATTRAIT FACE À SA BELLE-MÈRE...

JE NE SUIS PAS SÛR QU'À SA PLACE, J'EN AURAIS LE COURAGE.

À QUI LE DIS-TU !

MAIS, VOIS-TU...

JE NE M'IMAGINE PAS EN TRAIN DE TUER QUEL-QU'UN.

TOUT COMME MOI !

... ET NOUS SOMMES IMPLIQUÉS.

... C'EST LA GUERRE...

VRAIMENT ?

TOI AUSSI, TU PARTICIPERAS AU WAR GAME DEMAIN ?

8

142

POUR ÊTRE FRANCHE...

...DOROTHY...

10

...L'ÉPOQUE OÙ DIANA ÉTAIT DOUCE COMME UNE MÈRE.

...JE GARDE BIEN EN MÉMOIRE...

ALORS MÊME SI, PENDANT LE TOURNOI, JE JOUE LES DURES...

...CETTE HISTOIRE EST EN RÉALITÉ TRÈS ÉPROUVANTE POUR MOI.

GRMBL...

TU ME CASSES LES OREILLES, PRINCESSE !

HEIN ?

HEIN ?

HEIN ?

C'EST SANS DOUTE LA MÊME CHOSE POUR TOI, NON ?!

TU DEVRAIS PEUT-ÊTRE M'APPELER : "MA TANTE" !

PAS QUESTION (HIHI) !

DIANA EST MA MÈRE ADOPTIVE...

... ET TA SŒUR...

QUEL DESTIN ÉTRANGE.

AVEZ-VOUS BIEN DORMI ?!

BONJOUR À TOUS !!

12

iLS SONT IMPOS-SIBLES !

MOi, J'ÉTAIS AVEC LES FiLLES JUSQU'À L'AUBE.

PAS UNE SECONDE. ÇA VOUS POSE UN PROBLÈME ?!

PAS VRAI-MENT...

13

147

TERRAIN : LE DÉSERT !

CINQ CONTRE CINQ !!!

PIÈCES DE L'ÉCHIQUIER !!!

MONTREZ-VOUS !!!

14

GYASSS!!

C'EST... C'EST IMPOSSIBLE!!

ILS NE SONT QUE DEUX, ABRUTI!!

QUOI ENCORE?!

C'EST AFFREUX!!!

GINTA!!

15

LE TYPE D'HIER EST ENCORE EN TRAIN DE JOUER AVEC LES ENFANTS.

WAAAH!

YEEEEH!

VOILÀ LE 3ᵉ...

ET PUIS...

16

STAR

ÇA FAIT QUATRE.

...CANDICE !!

MIOM もしゃ
もしゃ
MIOM

NOUS SOMMES QUATRE.

VOILÀ...

C'EST UN HOMME QUI SEMBLE LIÉ À NANASHI.

LE DERNIER NE VIENDRA QU'À LA FIN.

... QUI SE PROPOSE ?

ET POUR MÄR...

GNUP

GINTA !!!

MOI, ÉVIDEMMENT !!

MOi!!

MOi!!

... MOi AUSSi...

... PUiSQUE JE SUiS APPAREMMENT TRÈS ATTENDU.

BON...

LE TIRE-AU-FLANC HABITUEL

QUE TOUS, ICI PRÉSENTS...

NOUS SOMMES DONC AU COMPLET.

SUR LES REMPARTS !!!

BLA BLA BLA...

OH! REGAR- DEZ!

!

4

ÉPISODE 95 : SNOW VERSUS EMOKISS ①

LE FANTÔME!!!

MAIS DÉSORMAIS, VOUS N'AUREZ PLUS AFFAIRE À DES TOURS OU À DES FOUS INCOMPÉTENTS.

VOTRE PARCOURS EST ÉPOUSTOUFLANT.

ILS N'ONT VRAIMENT PAS GRAND-CHOSE À ENVIER AUX CAVALIERS !

... C'EST-À-DIRE LA TOUTE FINE FLEUR DE CETTE CATÉGORIE.

CETTE ÉQUIPE EST COMPOSÉE DE CE QUI SE FAIT DE MIEUX.

ELLE ALIGNE DEUX MEMBRES DU FAMEUX "TRIO DES FOUS"...

CRUNCH

CRUNCH

6

TOUS SURCLASSENT RAPUNZEL, BIEN ENTENDU. BON COURAGE !

♪

ET LES TROIS AUTRES MEMBRES, D'AILLEURS, SONT EUX-MÊMES DES CAVALIERS !

POP

FANTÔME !!

JE...

JE VAIS ME DONNER DU MAL !

NE MANQUE PAS MON COMBAT !

FWiiiSH

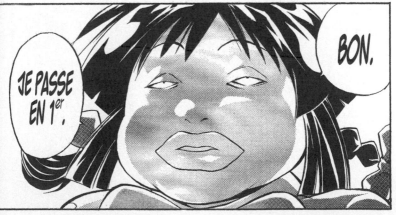

JE PASSE EN 1er.

BON.

?

ET QUI A LE PLUS DE STYLE ?... MOI, OU LE PETIT BOUDIN D'EN FACE ?

... DIS-MOI QUI EST LA PLUS BELLE EN CE MONDE.

DAN-DARSHA, ÉPÉE MALÉ-FIQUE...

C'EST TOI...

...MAÎTRES-SE...

11

SNOW, POUR MÄR !!!

MÄR
SNOW

DU TRIO DES FOUS, POUR L'ÉCHIQUIER... ÉMOKISS !!!

PIÈCE DE L'ÉCHIQUIER
ÉMOKISS

RANG FOU

QUE LA RENCONTRE COMMENCE !!!

♫ TADAM!!

POF

?

C'EST UNE MANIEUSE DE NATURE ARM, ELLE AUSSI ?

UNE FLEUR ?

JE T'OFFRE UNE SÉANCE DE DIVINATION !

RÉJOUIS-TOI...

AÏE!!

MES CHEVEUX!!!

BEAUTÉ...

BOUDIN...

CHIP ピラ

SRIK むしり

URF! FWASH わしゃ

FWASH わしゃ

AÏE! AÏE! AÏE!

BOUDIN~

BEAUTÉ~

BOUDIN~

BOUDIN~

BEAUTÉ~

BOUDIN~

SRIK むしり

SRIK むしり

OUPS, JE L'AI DIT DEUX FOIS.

C'EST SUPPOSÉ ÊTRE UN DES TROIS MEILLEURS FOUS?

VA SAVOIR...

KEUF!! KEUF!!

OUH LÀ!

... LE BOUDIN.

MAIS C'EST QU'IL EST ROBUSTE...

ELLE A SURVÉCU À MA FLEUR DIVINATOIRE ?

HEIN?!

FWHHHH

GRRR...

SALETÉ!!

ÉPISODE 96 :
SNOW VERSUS ÉMOKISS ②

1

ELLE M'EFFRAIE !!!

AH...

L'EXPRESSION DE SON VISAGE A CHANGÉ, MAIS ELLE EST TOUJOURS AUSSI EN COLÈRE !

HMMM う―む

ELLE EST TRÈS SOUPLE MALGRÉ SON EMBONPOINT.

EN PLUS, ELLE A UN AIR INQUIÉTANT.

ZAAAM!

ELLE A TOUT ÉVITÉ !!

OUI, MAÎTRES-SE.

TU ES D'ACCORD AVEC MOI, DANDAR-SHA ?

VOUS FAITES BIEN DE LE SOU-LIGNER.

TU AS UN VISAGE HORRIBLE, ET EN PLUS, TU NE VAUX RIEN AU COMBAT.

TU ME FAIS DE LA PEINE.

CHINK

4

QU'EST-CE QUE JE SUIS FATIGUÉ DE DEVOIR MENTIR CONSTAM-MENT...

L'AUTRE FILLE EST DÉCIDÉMENT PLUS MIGNONNE.

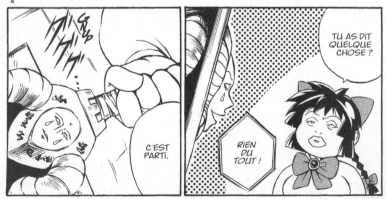

C'EST PARTI.

TU AS DIT QUELQUE CHOSE ?

RIEN DU TOUT !

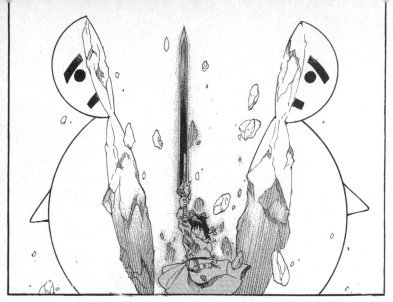

JE TE PRÉVIENS, J'AI BIEN PLUS D'UN TOUR DANS MON SAC...

C'EST TOUT CE QUE TU VAUX ?

... N'A RIEN PU FAIRE ?!

FLOCON...

BLINK

SURGIS!!

8

ET PUIS, C'EST QUELLE SORTE D'ÄRMS, ÇA ?!

ELLE SE GOINFRE EN PLEIN DUEL ?!!!

COMMENT SAVOIR CE QUI VA SE PRODUIRE, MAINTENANT ?

C'EST UN ÄRM DES PLUS ÉTRANGES, EN EFFET.

MIAM !

KRUNCH

KRUNCH

EKKKCHEL-LENT !

CROMCH

CROMCH

MASH

AVEC UN DES FOUS LES PLUS PUISSANTS DE L'ÉCHIQUIER...

9

TU T'ES ASSEZ MOQUÉE DE MOI !!

DASH

TU M'AS FATIGUÉE !!!

PLUS JE MANGE...

C'EST SIMPLE : C'EST EXPO-NENTIEL.

CRUNCH CRUNCH

10

KYAH !!!

PFFF

KEUM KEUM
×

MASH

MASH

12

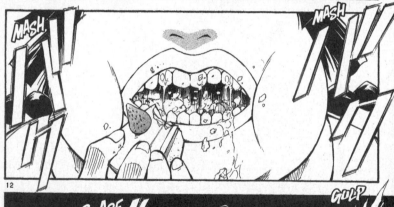

BRApf

GULP

MiOm
MiOm

NON, TU AS VU JUSTE.

JE ME FAIS DES IDÉES, OU BIEN...

ALVISS...

MIAM モコ...

... EST EN TRAIN D'ENFLER À VUE D'ŒIL.

LE CORPS DE CETTE ÉMOKISS...

MIAM モコ...

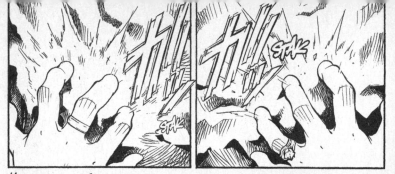

14

16

MÄR 9 (FIN) LE TOME 10 PARAÎTRA EN DÉCEMBRE 2006

❸ LE GARDIEN DOIT ÊTRE EN RÉSONANCE AVEC L'INVOCATEUR.

FACTEURS IMPORTANTS :
A) LE POTENTIEL DE MAGIE...

SI LA MAGIE ÉTAIT DE LA NEIGE...

B) CONCENTRATION
(DEGRÉ DE MALAXATION)... ➡

C) ET PUIS, TRÈS IMPORTANT :
LA DENSITÉ DU FLUX DE MAGIE...

... NE PAS SIMPLEMENT LA RAMASSER,
MAIS BIEN LA PRESSER ENTRE
LES PALMES DES MAINS.

LES AFFINITÉS INVOCATEURS-ÄRMS
VARIENT BEAUCOUP SELON LES CAS.

(L'ENVIRONNEMENT EST UN FACTEUR
NON NÉGLIGEABLE POUR OBTENIR UNE
RÉSONANCE OPTIMALE.)

PAR EXEMPLE, GHIMOR
ET ÉGORA SONT FAITS
POUR S'ENTENDRE.

MANIEUR DE GLACE   GARDIEN DE GLACE

**❹ L'INVOCATEUR NE PEUT SE
MOUVOIR PENDANT QU'IL MANIPULE
SON GARDIEN.**

LAISSEZ-
MOI
FINIR.

MAIS
APRÈS AVOIR
INVOQUÉ
DANDAKSHA,
ÉMOKISS
BOUGEAIT
TOUT LE
TEMPS !

❺ GUARDIAN SPÉCIAUX.

≥DOKAM

DOKAM

LES BONSHOMMES
DE NEIGE.
PLUSIEURS
CORPS POUR
UN SEUL GARDIEN.
IL SUFFIT
DE LES APPELER
UNE FOIS
POUR TOUTES,
MAIS SI L'UN
D'ENTRE EUX
EST DÉTRUIT,
L'ÄRM L'EST AUSSI.

DANDARSHA ET AKKO
(EN PHASE AVEC LES MOUVEMENTS
DE LEURS INVOCATEURS).

EXCEPTION FAITE
DES ARTEFACTS
QUI PERDENT
TOUT INTÉRÊT
SI L'INVOCATEUR
NE BOUGE PAS
TOUT EN LES
MANIPULANT...

NON,
MAIS
JE
RÊVE
!!

ÇA NE
M'INTÉRESSE
PLUS. C'EST
INCOM-
PRÉHEN-
SIBLE.

MAIS IL Y A
PEUT-ÊTRE UNE
GRANDE VARIÉTÉ
DE GARDIENS !!!

FIN.

PAGE BONUS !

CONCOURS D'ILLUSTRATIONS !

1ER PRIX !

YÛ TAKAMINE (ÎLE D'HOKKAIDO) ▶

▶
SEN
(DÉPARTEMENT DE FUKUOKA)

YÛI ÔKUNI (DÉPARTEMENT DE SHIMANE) ◀

YUKA ▶
(DÉPARTEMENT DE SAITAMA)

MAKINA KURA'UCHI ▶
(DÉPARTEMENT AOMORI)

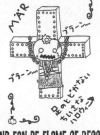

▼ K2 (DÉPARTEMENT DE HYÔGO)

KOGANEI, UN GRAND FAN DE FLAME OF RECCA
(DÉPARTEMENT D'IWATE)
▼

▼ AYUMI (DÉPARTEMENT DE CHIBA)

NORIKO KITAO
(DÉPARTEMENT DE KANAGAWA)
▼

CE CONCOURS EST RÉSERVÉ AUX FANS JAPONAIS MAIS N'HÉSITEZ PAS À NOUS FAIRE PARVENIR VOS DESSINS
POUR UNE SÉLECTION SUR LE SITE KANA OU DANS CES PAGES.

Prince du Tennis

LES AVENTURES DE RYÔMA
le petit prince du tennis!!

Prince du tennis de Takeshi Konomi - Shonen Kana

MÄR by Nobuyuki ANZAI
© 2005 by Nobuyuki ANZAI
All rights reserved
Original Japanese edition published in 2005 by Shogakukan Inc., Tokyo
French translation rights arranged with Shogakukan Inc.
through The Kashima Agency for Japan Foreign-Rights Centre

© KANA (DARGAUD-LOMBARD s.a.) 2006
7, avenue P-H Spaak - 1060 Bruxelles

Dépôt légal d/2006/0086/295
ISBN 2-87129-983-8

Conception graphique : Les Travaux d'Hercule
Traduit et adapté en français par Sébastien Bigini
Adaptation graphique : Eric Montésinos

Imprimé en France par Hérissey/Groupe CPI - Evreux